KB171830

그리 운다고 잊혀질 사람이었다면

그리 운다고 잊혀질 사람이었다면

발 행 | 2024년 07월 03일
저 자 | 김형철
펴낸이 | 한건희
펴낸곳 | 주식회사 부크크
출판사등록 | 2014.07.15.(제2014-16호)
주 소 | 서울특별시 금천구 가산디지털1로 119 SK트윈타워 A동 305호
전 화 | 1670-8316
이메일 | info@bookk.co.kr

ISBN | 979-11-410-9267-2

www.bookk.co.kr

그리 운다고 잊혀질 사람이었다면

김형철 지음

시인의 말

당신을 그리워하고 있을 누군가에게

누군가를 그리워하고 있을 당신에게

작은 위로가 되길

프롤로그

시를 쓴다는 것,

어딘가 모르게 오글거리고 너무 감성적인 것 아닌가? 하는생각이 들때가 있다. 대문자 F인 나에게 시를 쓰는 것이 어려운 일은 아니었지만 상상력이 뛰어나지는 못해서 지독히 현실적인 이야기들로 시를 주로 쓴 것 같다.

시집 출판을 앞둔 무렵 즐겨 보았던 드라마 [선재업고튀어]에서 남자주인공 선재가 여자주인공 솔이에게 직접 노래를 작사하는 것이 나온다. 드라마를 보다가 문득 나도 오래전 누군가를 떠올리며 시를 쓰고 노래가사를 썼던 기억이 떠올랐다.

지금으로부터 약 10년전 그때의 나도 시를 쓰고 노래가사를 썼던 적이 있었다. 그러다 직장생활을 하면서 점점 시를 잊어버리며 살아왔다.

그렇게 지내오던 중에 그 친구를 만났다. 힘든 일이 있을때마다 시를 써보라는 그 친구의 말에 다시 시를 쓰게 되었고, 이제는 꼭 특별한 일이 없어도 시를 쓴다. 시를 쓰는 시간들이 나에게는 너무나도 즐겁고 행복한 시간들이었다.

시를 쓴다는 것은 마음을 전하는 또 하나의 표현방식이 아닐까? 잊고 지내던 시를 다시 쓰게 해 준 그 친구에게 감사하다는 말을 전하고 싶다. 많이 보고싶다는 말도.

못생긴 모기

(2013년 작)

나는 모스키토

너는 못생겼오

난 너의 모기 넌 나의 먹이

나는 모스키토

너는 못생겼오

난 너의 모기 넌 나의 먹이

빨간피 찾아 어슬렁거려 난 하이에나

산이든 바다든 상관없지 그 어디서나

티셔츠 바지 양말 팬티 어디든 다 뚫고가

잡아볼 테면 잡아봐봐 날 막을 자 누군가

방안에 가득히 레몬 향기가 퍼지지 에프킬라

Like 우사인볼트 도망가 저 놈이 날 죽일라

바람과 함께 사라지다

(2013년 작 _ Rap making)

뿌연 담배연기 /사이로 /넌 저 멀리 /흩어져

쓸쓸한 /새벽찬 바람에 / 술기운이 /퍼져

버린 / 내 몸뚱아리가 / 사르르 / 녹아내려

잊고 지냈던 /내 기억이 /주르륵 /흘러내려

술 한잔 /원샷해도 /네 생각에 /목이 메여

미친놈처럼 /나는 또 /너를 찾아 /헤메여

어미를 /잃어버린 /새끼고양이 /같이

난 마치 /거리를 /떠도는 /노숙자 같지

널 갖지 /못해 /안달난 /늑대새끼 같이

줄줄이 /몇다리 걸친 /바람둥인 /아냐 난

그리 운다고 잊혀질 사람이었다면

차례

시인의 말 7

프롤로그 8

못생긴 모기

바람과 함께 사라지다

Ⅰ. 아프고 아픈 이름

반달 20

두고보지 않을거야 21

18도 22

와르르 23

기억 24

ㄴ 25

좋은말로 할 때 1 26

좋은말로 할 때 2 27

추억팔이 29

노래방에서 30

제 주거래은행은 하나은행입니다 31
불편한 편의점 32
내일이 오지 않는다 해도 33
기다리는 마음 34
닮은꼴 증후군 35
이제 그만 36
애창곡 38
1 + 1 = 1 40
2 - 1 = 0 41
세로등 42
순대국밥 43
그네 44
신호등 앞에서 45
나쁜 년 46
못갖춘마디 48
버스가 올때가 됐는데 49
비와 당신 50
J에게 51

사랑시만 쓸 순 없으니까 53
아프고 아픈 이름 54

Ⅱ. 태양처럼 그대 곁에서 공전하오니

환기 58
내 이름은 이쁜이예요 59
가까이 60
가로등이어도 좋아 61
말장난 62
꽃과 같이 되기를 63
나무에게 65
모서리 66
당신은 묵비권을 행사할 수 있고 67
보물찾기 68
어서 돌아오오 69
참외 70
수박 71

이상기후 72
취하지 않던 밤 73
다름이 아니라 74
마침표 75
노이즈 캔슬링 76
숟가락이 질투하는 젓가락 78
너를 배우는 시간 79
응원가 80
비를 내려주세요 81
못찾겠다 꾀꼬리 82
마음예보 83
나를 찾아줘 84
인사 86
나의 기쁨 87
너를 기다리면서 88
미운 꽃 89
무뎌진다는 것 90
태양처럼 그대 곁에서 공전하오니 92

Ⅲ. 그리 운다고 잊혀질 사람이었다면

시를 쓰기로 했어요 96

너 98

나 99

무중력상태 100

여전히 따뜻하네요 101

나에게 너무나 사랑스러운 우울에게 102

Would you love me? 104

지금 106

당신을 닮아 107

얼룩 108

그 방아쇠를 당겨 나를 쏘세요 110

그리움에게 112

아쉬움 113

가을이 왔다 114

낙엽 117

뻐꾸기 울면 우리 다시 만날테니 118

취미생활 119

지는 법 120

누가 사공인가 122

깨진 어항 123

동상 124

너를 만나러 가면서 126

졸업 128

거짓말쟁이 129

저 문밖에 소리치는 이 그 누구인가 130

분갈이 131

그리 운다고 잊혀질 사람이었다면 132

다시 한번 말하자면 134

내 마음 1단지 재개발 안내문 136

에필로그

너니까 (작사) *2013*

안녕 (작사) *2013*

I. 아프고 아픈 이름

반달

동그란 나의 마음
칼로 벤 듯 둘로 나뉘어
반쪽만 밝게 빛난다

나머지 반쪽

보이지 않게 숨겨놓은 내 마음
보름 되어 가득 차면
당신은 알아주려나

두고 보지 않을거야

내 가슴 멍들게 한 당신을
두고 보지 않을테요

아니
두고 봐야지

이 가슴에 멍우리 다 사라질 때까지
어디 가지 못하게

두고 봐야지

18도

가슴 속 아궁이에
누가 불을 지폈나
활활 타들어가
재가 되어버리려나

뿌옇게 먼지 쌓인 유리창에
누가 돌팔매질 하나
와장창 소리내며
조각조각 부서지려나

와르르

담벼락에 페인트를 칠해야겠다
군데군데 벗겨져 회색 시멘트 빛이 나는

내가 제일 좋아하는 색으로 골라 칠해본다
칠하고 덧칠한다 고운 빛깔 드러날 때까지

사다리에 올라타 닿지 않던 곳까지 칠할 때쯤
담벼락 너머 보이는 그 반대편

담벼락에 페인트를 칠해야겠다
붓을 든 순간
담벼락이 무너졌다

기억

당신을 바라보며
한참을 말없이 깜빡였다

수많은 깜빡임을 반복하다 멈추어
검은 세상에 당신 얼굴을 그려본다

먼 훗날 시간 지나 모든게 희미해져도
당신을 기억할 수 있도록
나의 두 눈에 오래 담아 본다

내 마음속에 오래 담아 본다

ㄴ

기억을 돌이켜보니
흐릿해져 가는
ㄴ ㅓ 가 있었다

좋은말로 할때1

학창 시절 쉬는 시간도
꿀맛 같은 점심시간도
산책하기 딱 좋은 가을도
사랑하는 이와 함께 하는 순간도

좋은건
왜 다 빨리 사라져

조금 덜 좋아할테니
사라지지 말고
오래 머물러줄래?

좋은말로 할때2

똑

딱

항상 똑같이 반복되는 시간이지만

좋아하는 것들의 시간이

더 빠르게 흐르는 것은

그만큼 집중하고 있기 때문일거다

지나가는 소리도 방해될까

숨죽여 지나가는 초침이

똑

딱

추억팔이

혹시 당근이세요

아
상태 먼저 한번 보세요
조금 오래되긴 했는데
저는 이제 쓸모가 없어서요

감사합니다
나쁜 기억 모두 구매해주셔서

아
다른 것들은 다 좋은 추억이어서요
팔지 않고 그냥 제가 간직하려구요

조심히 들어가세요

노래방에서

전주가 흐르고
두 키 올라간 목소리로
오늘 너무 짜증 났다는 말로 시작된
너의 노래에
박수와 탬버린으로 작은 위로를 보낸다

간주 점프 없이
오롯이 너에게 집중하며
2절을 기다리다가
너의 다음 노래도 계속 듣고 싶어서
좋은 이야기들만 골라
우선 예약을 눌러 본다

제 주거래은행은 하나은행입니다

어디서 이렇게 똥냄새가 나는가 했더니
역시 너였어

길거리 바닥에 폭탄들이 우르르 우르르
전부 지뢰밭

오가는 사람들 모욕속에 시리고 아프게
멍이 들었나

가을이 왔다는 냄새라고 찐하게 알려준
노랑 은행잎

불편한 편의점

잠이 오지 않아
새벽 산책하러 나왔다가
집 앞 불 켜져 있는 편의점 알바가
꾸벅 꾸벅

누가 올지도
어쩌면 아무도 오지 않을지도 모르는
누군가를 위해 남몰래 고생하는
이 수고로움을 알까

집앞에 편하게 다니는 편의점속에
누군가의 불편함이 있다는 아이러니

오늘도 불이 켜져 있는
불편한 편의점

내일이 오지 않는다 해도

오늘까지만
너를 그리워할게

오늘까지만
울고 이제 그만 울게

오늘의 내일도
내일이 되면
오늘이 되니

그러니
오늘까지만
너를 사랑할게

기다리는 마음

먹구름 가득한 얼굴로
눈물을 잔에 담아 마시고 있을 당신에게
나는 아무것도 해 줄 수 없었어요
어떤 말도 당신에게 위로가 되지 못할거란걸 알기에

따뜻한 태양이 되어서
당신의 얼어버린 마음을 녹여 버리려고
나는 최선을 다해 노력했었어요
내가 너무 당신에게 마음을 줘버렸던 탓일까요

언제든 와줘요
당신의 이야기 내가 다 들어줄테니

나 당신이 오면은
두 팔 벌려 안아줄테니
작은 위로가 되어줄테니

닮은꼴 증후군

너 인가 해서
주변을 한참 어슬렁거리다

빤히 바라보고는
너가 아닌걸 알았다

이제 점점
얼굴도 기억나지가 않아
세모인지 네모인지
동그라미였는지

다시 또 너인가 해서
주변을 한참 어슬렁거리다

빤히 바라보고는
너였으면
꼭 너였으면 했다

이제 그만

다 식어버린 손난로를 손에 쥐고
바들바들 떨고 있는
가엾은 내 사랑아

이제 그만 놓아주라

꽃이 피고 지듯이
이 추운 겨울 지나면
다시 봄이 올테니

이제 그만 보내주라

이제 행복해져라

애창곡

십육분음표로 가득 채운
나의 사랑의 악보가 연주를 멈추었다

사분의 사박자인줄 알고
박자의 맞추어 음표들을 가득 채웠는데

연주가 하나도 예쁘질 않아
연주를 멈추고 악보를 다시 보니

네가 보고 있던 악보와
내가 보고 있는 악보가 달랐다

연주자여
이 악보는 엉터리예요

쉼표하나 없는 악보를 연주한 내가
미련하고 분하여 악보를 찢어 버렸다

1 + 1 = 1

하나
너를 사랑하는 나의 마음 하나
하나
나를 사랑하는 너의 마음 하나

마음 두 개 더해져
이제 우리 둘이 아닌 하나

허나
세상은 하나 더하기 하나는
둘이라 하네

허나
생각을 조금 돌려
더하기 말고 곱해버리자

너의 마음 나의 마음
하나가 될 수 있게

2 - 1 = 0

너를 너무나 사랑했던 죄로
이렇게 아픈가 보다

너의 마음 하나 헤아리지 못한 죄로
이렇게 씁쓸히 다시 곱씹나 보다

내가 너였고 네가 나였기에
네가 없을 뿐인데
나도 같이 없어져

하나도 남은 게 없는 제로

세로등

하늘 위로 기다랗게
늘씬하게 쭉 뻗은
너는 왜 세로등이 아니고
가로등인거야

나도 알아
가로등의 뜻이 그런뜻이 아니라는걸

보이는 대로 말했을 뿐이야

보이는 게 다가 아니라는걸
사람들도 알아야 할텐데

불쌍한 가로등

순대국밥

순댓국이 먹고 싶었는지
소주가 마시고 싶었던건지

소주를 마시며 먹다 보니
시간이 벌써 이렇게 되었나

소주가 마시고 싶었던건지
네가 생각이 나서인지

그네

왔다 갔다
자그마한 동네 놀이터에
한 소년이 앉아
흔들흔들

왔다 갔다
흔들리다 이내 멈추고는
일어나 사라진다
저벅저벅

왔다 갔다 하는 모습이
그네와 닮아 나그네인가

나그네여
너무 멀리 가진 마오

신호등 앞에서

빨간불 앞에 멈추어 서서
내 앞을 지나가는 자동차들을 멍하니 바라본다

나는 멈추어 섰는데
아니
내가 멈추어 섰으므로
저 차들은 고민 없이 달려간다

초록불 앞에 멈추어 서서
내 앞에 멈추어버린 자동차들을 멍하니 바라본다

시간은 줄어가는데
아니
차가 멈추어 섰지만
나는 한발도 떼지 못하고 있다

나쁜 년

너랑 처음 만났을 때가 떠오르네
그땐 참 여러 가지 생각도 많았고
하고 싶었던 것도 참 많았었는데 말야

일에 치이고
인간관계에 치이면서
점점 원래의 나를 잃어가는 느낌이 들더라
얼마 없던 나의 자신감도 같이

너는 날 너무 힘들게 했어
그렇다고 널 미워하진 않아
소중한 사람들을 만났고
그와중에 새로운것도 시작하게 되었으니

근데 이제 너랑 그만하고 싶어
시간 지나서 언젠가 네가 생각날 때
아 그땐 그랬지 하며 웃을 수 있게

이제 우리 그만 헤어지자

잘가라
나쁜年아

못갖춘마디

준비 없이 떠밀리듯
홀로 시작된 고독한 여정

한마디 한마디
새로운 경험들과 추억으로
가득 채워나간다

긴 여정의 끝
지나간 시간들을 돌아보며
수고했다고 나에게 손을 흔들자

다시 홀로 시작된 마디에
이제는 혼자가 아닌
지나간 추억들 속에서 쉼을 얻으리

버스가 올 때가 됐는데

버스가 올 때가 됐는데
언제쯤 오려나

정류장에 우두커니 서서
기린이 되어 주위를 둘러본다

혹여나 오는 길 사고가 난 것일까
걱정하던 눈동자는
저 멀리 보이는 버스를 보며
다행이다 하며 또 슬픈 웃음 짓겠지

그저 스쳐 지나갈 정류장이라면
차라리 버스가 오지 않았으면

버스가 올 때가 됐는데
언제쯤 오려나

비와 당신

종일 내리던 비가
당신과 만나기로 약속한 뒤부터 주춤했다

저 멀리 보이는 당신을 보며 손을 흔들 때
주춤하던 비는 얼굴을 숨겨 버렸다

당신과 같이 있는 동안
비는 구름 뒤에 숨어
우리가 헤어질 때만 기다리고 있었다

당신과 내가 그 표정으로 손을 흔들자
또륵
다시 차갑고 축축한것이 내렸다

J에게

수많은 계획들 중에
오늘 우리가 만나
사랑을 나눌 거라는건 없었을거야

생각했던 것보다
더 최악으로 아님 더 좋은쪽으로

도무지 종잡을 수 없는
상황속에서 얻어지는 그 미묘한 시간들
그 시간들 속에서 얻어지는 행복

수많은 계획들 중에
이제 당신을 만나
새로운 계획 그 속에서 함께할거야

온통 너로 가득한

사랑시만 쓸 순 없으니까

가까이 오지마
한 발자국만 더 움직이면
내 가시로 찔러 버릴거야

아무말도 하지마
한마디만 더하면
가시 돋힌 말들 퍼부어 줄거야

그렇게 쳐다보지마
피눈물로 피워낸 내 장미
시들어가는 모습 보이고 싶지 않으니까

아프고 아픈 이름

어디선가
당신 이름이 보이면
눈물이 흘러내리고

어디선가
당신 이름이 들려오면
띵하고 머리가 울려

언젠가
당신이 생각이 날때면
가슴 한쪽이 너무 아파

언젠가
당신이 그리워 질때면
그때는 어떡하나요

내게 너무나
아프고 아픈 이름

내게 너무나
빛나는 슬픈 이름

Ⅱ.

태양처럼 그대 곁에서 공전하오니

환기

나쁜 생각들로 가득 찬 나의 마음에
창문을 활짝 열고 찬 바람을 느낀다

차디찬 바람이 마음에 파고들어
섞이고 섞여
사랑만 남긴 채 창문 밖으로 사라진다

너를 향한 사랑으로 가득 찬 나의 마음에
창문을 또 열어 다시 찬 바람을 느낀다

바람을 타고
나의 창문으로
너도 같이 들어오길 바라며

또 한번
창문을 연다

내 이름은 이쁜이예요

네 이름은 무엇이냐
잡초라고 합니다

붉은빛 아름답게 태어나
난 자리가 잘못되었다 하여
어찌 잡초라 불리느냐

이쁜이라 부를 테니
뿌리뽑혀 하늘 올라가거든
이쁜이라 불러달라 말하려무나

가까이

위로가 필요할 때
언제라도
가까이
더 가까이
내 곁에 다가와 주세요

당신과 함께라면
언제라도
기꺼이
나 기꺼이
내 어깨를 내어 줄게요

가로등이어도 좋아

하릴없이 빛나고 있는
아무도 관심 가져주지 않는
쓸쓸하고 고독한
가로등이어도 좋아

어둔 길 걸어가고 있을 때
조용히 너의 길을 비춰줄 수 있다면
검은 그림자로 너와 함께 한다면

나는 그래
네가 행복할 수 있다면
가로등이어도 좋아

말장난

내 속도 모르고
열불나게 하는 녀석 때문에
마음 상하지 않도록
내 마음 냉장보관 할래요

차디찬 내 마음
두근거리게 하는 당신 때문에
금방 따뜻해 질테니
옷은 얇게 입고 오세요

꽃과 같이 되기를

겨울 지나
거리에 수놓은 벚꽃길을 걸으며
너의 안부를 묻는다

힘겨운 싸움중에 있다 하더라도
추운 겨울을 이기고 피어나
많은 사람들에게 행복을 주는
저 어여쁜 벚꽃과 같이 되기를

결국 다시
활짝 피어난
꽃과 같이 되기를

나무에게

왜 나에게는
예쁜 꽃 하나 피지 않아
사람들이 관심도 가져주지 않고

왜 나에게는
탐스러운 열매 하나 열리지 않아
아무런 도움도 되지 않는가

꽃이 피지 않아도
열매 맺지 않아도
네가 나무가 아닌 것은 아니다

지쳐 쉴 곳이 필요한
어느 나그네의 쉬어갈 그늘이 되어준다면
너는 좋은 나무다

그러니 이제 울지 말거라
나무야

모서리

그대 마음 한복판에서
멀뚱거리고 서있던 나는
밀리고 또 떠밀려
어느새 한 귀퉁이에 쪼그려 앉아있다

나의 마음 안보이는지
야속하게도 그대는 나를
밀고 또 떠밀어
기어코 낭떠러지에 나를 떨어뜨렸다

떨어지는 그 찰나의 순간도
그대의 행복을 빌고 마는 어리석음이여

차디찬 바닥에 추락하여
다 부서져 박살 나버린 내 어린 사랑이여

당신은 묵비권을 행사할 수 있고

어느 날 소리 없이 찾아온 당신이
내 온 마음을 어지럽히고

달콤한 칼로 내 마음 도려내고선
꼭 움켜쥔 채 달아나버려

도려내진 가슴 속
붉은 눈물 흘리며 당신을 기다렸는데

꿈속에서나
당신을 이렇게 만나네요

여기예요 형사님
이 사람 좀 잡아주세요

아무데도 도망가지 못하게
이 사람 좀 꼭 잡아주세요

보물찾기

나 여기에
두고 가오니 찾아가시오

우리가 함께했던 곳에
숨겨 두오니 찾아가시오

그대가 쉽게 찾을 수 있는 까닭은
찾아오는 길 어렵지 않도록
사실은 숨겨놓지 않은 까닭이요

흙먼지 비바람 뒤덮여
더럽혀진다 하여도 변치 않으리니

나 여기에
두고 가오니 찾아가시오

나 여기에
기다릴 테니 찾아주시오

어서 돌아오오

그 발걸음을 멈추어줘요
저 땅속 깊은 곳 닿을 때까지
이 두 다리 버티고 있을테니

한 번만 뒤돌아 봐줘요
저 하늘 구름에 닿을 때까지
두 손 높이 들어 흔들고 있을테니

한 번 보고
영영 이별이라 해도 좋으니
어서 돌아오오

어서

참외

그어진다
똑바로 일하라는 너의 말에 한 줄

그어진다
제대로 하는 게 없다는 너의 말에 한 줄

그어진다
연애 좀 하라는 너의 말에 또 한 줄

노랗게 멍이 들어
줄줄이 줄무늬가 생겨버린 나의 모습
그 속엔 하얀 거짓말로 가득 채워진다
진짜 하고 싶었던 말은 그 안에 숨겨놓은 채

참외롭다
내 속도 모르고

수박

우거진 수풀 사이에
검은 쇠창살 그 너머
꿈틀대는 무엇인가

얼굴에 검은 점 있는
수줍은 소녀 하나가
얼굴 붉히고 있네

아무것도 나는 못봤어
뒤돌아서서 조용히
미소 지을 수밖에

이상기후

바람을 타고 실려 온 너의 향기에
문득
네 생각이 났어

고개를 들어 주위를 둘러보아도
고요
그 누구도 없어

바람이 아닌 강력한 태풍이라서
모두
다 뒤섞여 버려

둥둥
그리고
쿵

취하지 않던 밤

밤늦게까지 술을 마시고
집에 들어와 이것저것 했는데
아직도 새벽 두시
나는 취하지 않았다

꽤 많은 알코올들이
몸속에 들어왔는데
놀랍게도 취하지 않았다
그러니까 이 시를 쓰고 있겠지

왜 취하지를 않았을까
차라리 취해버리고 곯아떨어져
꿈속에서나 만나지

잠이 오려나
이 긴긴 여름 밤

다름이 아니라

아 다르고 어 다르다는데
나랑 너도 다를테지

서로 다른 세상 속에 살다 만나
서로 다른 생각을 가졌지만
틀린건 아니야

내가 맞고 네가 틀린 것도
네가 맞고 내가 틀린 것도

내가 하고 싶은 말은
다름이 아니라

마침표

마음 단단히 먹고 펜을 들어
찍어낸 점 하나

잉크가 번져가지만
차마 그 손을 떼지 못하고
결국 꼬리 내려 쉬어간다

정말 이렇게 끝이 나는 건가
너무나 아쉬워

두 발을 굴러보지만
이미 돌아선 당신이기에
아무 소용 없는 일이라고

기어코 당신은 내게 펜을 쥐어주지만
나는 영원히 찍지 못할
작은 점 하나

노이즈캔슬링

마음이 시끄러워
고요한 곳에 가고 싶었다

철썩이는 파도 소리에
묻혀버리길 바라며
바다를 가고 싶었는데

나는 어느샌가
작은 호수가 있는 공원에
덩그러니 있다

너무나 초라한 모습으로
호수에 비친 나를
한참이나 바라보다

씨익
미소 지어 본다
그 녀석도 따라 웃는다

마음이 시끄러워
고요한 곳에 가고 싶었다

고요하니 더 잘들리는
나의 마음이었다

숟가락이 질투하는 젓가락

우리는 나란히 누워
꽃무늬 커플티 맞춰 입고서
데이트 준비하는 중

매콤한 떡볶이도
달달한 양념치킨도
딱딱한 멸치볶음도
포근한 계란후라이도
뭐든 다 괜찮아

진수성찬 차려진 이곳에
접시마다 쌓여가는 시간 속에서
우린 언제나 함께일테니

우리는 나란히 누워
꽃무늬 수세미 샤워하고서
좋은 꿈 꾸러 가는 중

너를 배우는 시간

넌 국어 같아
가끔씩 너의 말속에 숨어있는
함축적의미를 찾아내야 하니까

넌 영어 같아
가끔씩 무슨뜻인지 몰라서
해석하는데 오래 걸리니까

넌 수학 같아
서로 다른 두 함수 같은 너와 내가
교점을 찾아가고 있으니까

끝없이 너를 배운다
백점 맞을 때 까지

응원가

티 없이 맑은 하늘
도화지 삼아 너를 그린다

예쁜 그림 방해될까
잠자리채 높이 들어
뭉게구름 잡아채
내 가슴 한 켠에 두었다가

너의 생각에 먹구름 되어
장대비 쏟아져도 좋으니

너의 하늘은
언제나 맑기를
언제나 푸르기를

티 없이 맑은 하늘
밝게 웃고 있는 너를 그린다

비를 내려주세요

어제는 종일 비가 내리더니
오늘은 왜 이리 맑은가요

내 흐르는 눈물 모르게
빗속에 가리워 마음은 편했는데

이제는 저 뜨거운 태양 빛에
눈물 자국이 더 선명하게 보이네요

차라리 비를 내려주세요

비인지 눈물인지
아무도 모르게

못찾겠다 꾀꼬리

꼭꼭 숨어라
머리카락 보일라

너랑 같이 갔던 카페
너랑 같이 걷던 거리
너랑 같이 봤던 영화
너랑 같이 갔던 식당

어디에도 너는 없다

꼭꼭 숨어라
머리카락 보일라

다 숨었니

찾는다 이제

마음예보

오늘 마음은 하루 종일 흐림
소나기가 내릴 수 있으니
우산을 챙겨 들고 집을 나서다가

기다리던 너의 카톡 하나에
빵긋

기상이변이다
이내 구름이 걷히고
해가 뜨고 마는

점차 흐려지다
긴 장맛비가 올거라던
오늘의 마음예보가 틀렸다

나를 찾아줘

나는 다리가 짧게 태어나
누구 하나 앉는 이 없이 지나치는 벤치

나도 누군가에게 쉴 곳이 되어주고 싶어
나도 어느 나그네의 말동무가 되어주고 싶어

하지만 이런 모습인 나를
찾아줄 사람이 누가 있을까요

오늘도 옆에 키 큰 벤치 친구를 부러워하던 그때
작은 소녀가 나에게 다가와 자리에 앉았다

나도 누군가의 쉴 곳이 되어
너의 말의 귀 기울여 줄 수 있도록
기다리고 있을게

언제든 다시 찾아와줘
또 보자 꼬마 아가씨

인사

숨이 턱까지 오르게 달리다 보면
이마에 송글 맺힌 땀방울 식혀주는
고마운 바람과 인사하리라

조금 쉬어가자 걸어가다 보면
바닥에 엎드려 야옹하는
황금색 고양이와 인사하리라

달리고 걷다
걷고 달리다

어느새 목적지에 도착해
멈추어 뒤돌아 보면
내가 지나온 수많은 발자국들이
나에게 인사해주리라

여기까지 오느라
참 고생 많았노라고

나의 기쁨

똘망똘망
빛나는 눈동자

엄마 올 때만 기다렸다
삑삑 소리 들리면
움직이는 헬리콥터

쫄랑쫄랑
바쁜 발걸음

오늘 하루도 고생했다
많이 보고 싶었어
위로해주는 혓바닥

길게 줄지은 저 개천 따라
앞으로도 함께 걸어가자
너랑 나랑
우리랑

너를 기다리면서

네가 오지 않을 거라는 것을
돌아오는 길에
허전함 뿐이라는 것을

너무나 잘 알고 있지만
이 자리에 우두커니 앉아
너를 기다리고 있는 까닭은 무엇일까

찬 공기 사이로
뿌연 연기 흩어져 사라지는
어느 가을밤

다시 또 뿌연 연기만 흘러가네

미운 꽃

고운 모습 오래 보고자 하여
그 줄기를 댕강 쳐낸
가엾은 꽃이여

드넓게 뿌리 뻗어
흔들리지 않는 줄기 따라
피워낸 아름다움을 잊은 게로구나

힘줄이 끊어져
시들어갈 너에게
손수건을 흔들며

안녕

무뎌진다는 것

날이 들지 않아
무뎌진 칼날을 갈다가
같이 닳아 버린 손잡이에
눈길이 머문다

이 칼은
얼마나 많은 것들을
썰어냈을까

맘에 들지 않아
온종일 화를 내다가
거울 앞에 나의 모습에
눈길이 머문다

이 마음은
얼마나 많은 아픔을
견뎌냈을까

내 마음도 저 칼날처럼
무뎌져 버렸을까

태양처럼 그대 곁에서 공전하오니

캄캄한 어둠 속을 걷고 있는
그대여
슬퍼하지 마라

내가 빛이 되어
너의 그림자 되어
너와 항상 함께하리니

그대여
슬퍼하지 마라

지쳐서 깊은 한숨 쉬는
그대여
슬퍼하지 마라

내가 짐꾼이 되어
너의 지게가 되어
너의 짐 다 들어주리니

그대여
슬퍼하지 마라

그대여
부디 슬퍼하지 마라

나 태양처럼 그대 곁에서 공전하오니

III.

그리운다고 잊혀질 사람이었다면

시를 쓰기로 했어요

시를 쓰기로 했어요
텅 빈 방 안에
멍하니 창밖을 보고 누워

조금 열어놓은 창문 밖으로
자동차 지나가는 소리 들으며
적어보는 시

사실은 나의 이야기이고
어쩌면 너의 이야기이고
아니면 모두의 이야기일 수도 있는

보통의 삶을 살고 있는 내가
시를 쓰기로 했어요

쓰는 것만으로도
내가 나를 위로해주는
옆에 없어도
너의 온기를 느낄 수 있는
시를 쓰기로 했어요

우리를 쓰기로 했어요

너

하기 싫은데 하고 싶고
가기 싫은데 가고 싶고
맛이 없는데 맛이 있고

어느 쪽인지 애매모호한 감정
그 깊은 중심엔
네가 있었기 때문 아니었을까

나

항상 타인을 신경 쓰느라
배려라는 이름에 갇혀
진짜 나는 숨어버렸다

내가 하고 싶은건 무엇이었는지
내가 좋아하는건 무엇이었는지
내가 가고싶은건 어디였는지

모질게 외면하고
마음도 몰라준 채
관심도 주지 않아 시들어 버린 나에게

오늘은
물을 듬뿍 줘야겠다

무중력상태

지금 이곳은
무중력상태

어디에도 정착하지 못한
바닥에 떨어지지 않는 사과

중력이 이끄는 곳에
당신과 함께하고 싶은데

아래로 떨어져
박살나버려도 좋으니

가까이
당신이 이끄는 곳으로

여전히 따뜻하네요

오랜만이야
옅은 미소 지으며 반겨주는
당신을 보며
나는 또 숨어버려요

아픈데는 없냐는
무심하게 던진 위로에
나는 또 얼어버려요

너무 보고 싶었다며
나를 끌어 안아주는 당신은
여전히 따뜻하네요

숨어버린 얼음이
주르륵
녹아 흘러내려요

나에게 너무나 사랑스러운 우울에게

내 앞에서 다정히 눈을 맞추고
나를 꼭 끌어안아 주는 당신에게
하루종일 답답했던 가면을 벗고
부드러운 입맞춤을 해요

거짓된 모습이 아닌
진짜 나의 모습으로
당신과 함께 하는 이 시간이
내가 가장 편안한 시간이에요

애써 밝은 척 억지스런 미소 지으며
시시콜콜 잡담을 나눌 필요도 없어
온통 적막한 고요함 속
내 모습 그대로 발가벗겨져도 좋아

그러다 세상에 나 혼자라는 생각에
가끔씩 외로워질 때
익숙해져버린 당신 손길이 머물면
나는 깊은 잠에 들어요

나에게 너무나 사랑스러운 당신에게
나는 푹 빠져버렸어요

당신을 어쩌면 좋죠

Would you love me?

얼마나 지났는가
내 눈시울과 같이 붉은
찬란히도 슬프게 떠오르는 저 태양이
나를 미치게 했다

가냘픈 나의 읊조림에
우주가 망가져
시공간이 뒤엉켜버려
모든 게 엉망이 되길

얼마나 지났는가
내 우울함과 같이 검은
걸음마다 지독히 따라오는 저 그림자가
나를 또 괴롭힌다

이제 여기까지만 하자
붉게 타들어 가는 매캐한 연기가
춤을 추며 올라가
고개 들어 바라보니

밤하늘 헤아릴 수 없는
별들의 노래가
나를 끌어안아 다독여
모두 다 괜찮다 괜찮다

사랑받기 위해 몸부림쳤던 나를
초라한 작은 점과 같은 나를
온 우주가 바닥으로 밀어내고 있었다
이르게 소멸되어
하늘로 올려지지 않길 바라며

얼마나 지났는가
내가 다시 태어난지

지금

울고 있던 어제의 나에게
손수건을 건네준 지금의 너

울음을 그치고
너를 닮아 예쁜 상자에 손수건을 담아
건네줄 생각에 미소 짓는 내일의 나

지금
너도 내 생각하는지

당신을 닮아

너무 미웠던 당신이
왜 그렇게 매일같이 취해 있었는지

술잔을 따르다 보니
이제 조금 알 것 같네요

미안해요
당신의 슬픔 알면서도
일부러 내가 모른척 했어

너무 늦었지만
한잔 받으세요
이제 힘들어하지 마세요

사랑해요

얼룩

밤새 요란하게 내렸던 비가 그치고
잠시 소강상태에 접어든 마음 밭에
예고 없는 소나기가 다시 내렸다

잠시 뒤 마음 밭에 작은 그늘이 지고
환한 미소가 펼쳐진 그 주위로는
더 이상 젖지 않았다

소나기가 그치고
소나기를 막아주던 그늘에게
고마웠다고 인사도 못했지만
그늘은 이미 사라졌다

그늘이 떠난 자리
젖지 않은 나의 마음 한구석에
그늘이 지나간 얼룩이 생겼다

아직도 너는
나의 마음속에 지워지지 않는 얼룩으로
내게 남아있다

그 방아쇠를 당겨 나를 쏘세요

알리바이는 충분해요

오늘 당신과 나는
여기서 만난 적 없는 거예요
아니
나는 당신 같은 사람 모르니까
우린 만난 적 없었던 거예요

마음 약해질 필요 없어요

결국 당신과 나는
이렇게 되버릴 거라는걸
아니
어쩌면 처음 만났을 때부터
우린 이럴 운명이었던 거예요

차라리 당신이 날 죽여도 좋으니까
제발 한 번만이라도
당신을 다시 볼 수 있게 해달라고
빌었던 나였으니 후회는 없어요

자 이제
그 방아쇠를 당겨 나를 쏘세요

나는 정말 괜찮아요
당신 없는 나는 이미 오래전 죽었으니까

부디
이제 나 같은 거 잊어버리고 행복하세요
내가 당신에게서 비켜줄테니

그리움에게

점점 멀어져가는 기억을 떠나
너는 어디까지 갔니

가던 길 잠시 멈추어주면
내 손에 예쁜 색연필 손에 쥐고

나에게 손 흔들어주면
기억 속에 예쁜 그림 다시 그릴텐데

지우개 자국 남은 흰 도화지만 남기고
너는 어디까지 갔니

아쉬움

아
하나도 쉽지가 않은데
어찌 네 이름은 아쉬움이냐

뒤돌아 돌아서며
내 가슴 한구석 아리게 하면서
어딜 감히 쉽다고 말하느냐

아
님 보내고 난 뒤
하나도 쉬운 게 없더라

가슴속에 안쉬움 뿐이더라

가을이 왔다

아침저녁으로 쌀쌀하더니
이내 가을이 왔다

은행잎 노랗게 물들어 가는 걸 보니
그래 가을이 맞다

그 뜨겁던 태양도
코스모스 잠자리
편히 뛰어놀라고 낮잠 자는

그래 가을이 왔다

낙엽

그 차갑고 매섭던 눈보라 속에서도
지켜내었던 너는

그 길고 길었던 여름의 태양을 견디고
고운 색으로 물들고선
이제 작별이구나

작별이어도 나 슬프지 않음은
다음 해에도
그다음 해에도
당신과 같은 이
또 품어내어 지키고 있을테니

바닥에 흩어져 즈려 밟히는 소리가
반갑게 들리네

이제 곧 봄이 오려나 보다
네가 또 오려나 보다

뻐꾸기 울면 우리 다시 만날테니

1초
그 찰나의 시간에 입맞춤을
기억해

돌고 돌아
세상이 그댈 어지럽혀도

결국
우린 다시 만날 거라는 것을
기억해

뻐꾹 뻐꾹
뻐꾸기 울면 우리 다시 만날테니

취미생활

신경 쓸 일 없이
아무에게도 방해받지 않는
나의 자유시간에
취미생활이 생겼다

단순하지만 복잡한
이 취미생활이 너무 중독적이라
끊어낼 수가 없다

너를 그리워하는 일
나의 지독한 취미생활이 되었다

이제 다 마셨으니
오늘은 이만하고 자야겠다

취하지 않았어
나는

지는 법

밝게 비추어 주던 저 태양이
온 세상 붉게 물들여
예쁜 이불 준비하고서는
이제 자러 갈 준비를 한다

달에게 수고하라며
눈부신 인사를 하고서는
사라진다
참으로 아름답게도

지는 것이
하나도 아쉬운 것이 아니라는 걸
지는 것도
때로는 괜찮다는걸 알려준 노을에게
꾸벅 인사를 하고

나도 이내
발걸음을 옮겨 사라진다

눈부신 발걸음으로

누가 사공인가

이리로 가자
붉은 태양 빛
모래알 반짝이는 저곳으로

저리로 가자
푸른 바다 빛
파도가 숨을 쉬는 저곳으로

이리 저리
왔다 갔다

도착해 눈 떠보니
새까만 산중에
뻐꾸기 슬피 우는 소리만 들리네

뻐꾹 뻐꾹

깨진 어항

작은 어항 속
꿈뻑이는 금붕어와 눈이 마주쳤다

울고 있는 것이냐 너

나의 일부라 생각하고
널 가두어 둔 나를 원망하는 것이냐

그래 내 잘못이다
자유로워지거라

빠직

금이 가기 시작한
나의 작은 어항

동상

가만히 있다
미동도 없이
매서운 눈보라가 뺨을 때리고
긴 장맛비가
어깨를 적셔도 버텼으리라

가만히 있다
미동도 없이
개나리가 그리울 만큼
시리고 차디차
손끝 마디마디 부르텄으리라

가만히 있다
미동도 없이
무슨 생각을 하는 것인지
알 수 없는 표정을 숨긴 채

움직인다
당신도 같은 생각이라 확신이 들어
청동이 깨져 부셔졌으리라

너를 만나러 가면서

어둠을 뚫고 나아가다
이내 멈춘다

기쁨이 타고
슬픔이 내린다

닫히는 스크린도어 너머
손을 흔들며 인사하는 연인들

슬픔이 타고
아쉬움이 내린다

긴 어둠 끝
종착점에 다다라
모두 내린 이 곳

아무도 없지만
두근거리는 설레임은
아직
내가 앉아있던 그 자리에서
내리지 않았다

졸업

어리숙하고 늘 뚝딱이던 내가
당신에게 많이 배웠습니다

내가 당신보다 나이가 더 많지만
오히려 당신에게 더 배웠습니다

배운 만큼 그보다 더
이제 남들에게 가르쳐주는 삶을 살아보고자

이제 당신에게서
졸업하려고 합니다

나의 학사모에 빛을 내준 그대에게
감사 인사드립니다

거짓말쟁이

날씨가 좋아서
혼자 걷고 있어

너랑 함께했던 곳을
혼자 걷고 있어

한발 한발 옮길 때마다
네 생각이 나는걸 보니

다 잊었다는 말은
거짓말이었나봐

날씨가 좋으니
너랑 걷고 싶어

너랑 함께했던 곳을
같이 걷고 싶어

저 문 밖에 소리치는 이 그 누구인가

저 문 밖에 소리치는 이 그 누구인가

자물쇠 걸어 잠구어
열쇠는 저 강가 깊은 곳 내다 버려
열어줄 수 없으니
이제 그만 하고 돌아가시오

두 번 다시 열지 않으리니
포기하고 돌아가시오

내 얼룩진 얼굴 보이기 싫으니
제발 어서 돌아가시오

그래도 아니 된다면
문 부수고 들어와
아무 일 없었던 듯 다시
나를 꼭 안아주시오

분갈이

황량한 마음 밭에
당신이라는 씨앗이 심겨져
어느새 추억이라는 열매가 많이도 자랐네요

예쁜 화분으로 준비했어요
추억들을 옮겨내어
오랫도록 자라날 수 있도록

시간 지나 낙엽 쌓이고 눈 내려
움푹 패인 곳
이제 더 이상 보이지 않더라도

마음밭은 기억할거에요
추억이 뿌리내렸던 그 자리를
우리가 함께했던 그 시간을

그리 운다고 잊혀질 사람이었다면

밤마다 모아온 나의 바다에
문득 파도가 치는 날

이렇게 갑자기 휩쓸려
정신 못 차리게 떠밀려 갈때면
나는 아무것도 할 수 없었어요

당신이 떠난 뒤 홀로 남겨져
문득 그리워 지는 날

또다시 차오른 눈물에
깊이 가라앉아 사라진 것일까
나는 멍하니 하늘만 보았어요

그리 운다고
잊혀질 사람이었다면 좋았을 것을

침전하였다
깊은 곳에서 다시 떠오르는

잊히지 않는 그리움이여
잊을 수 없는 내 사랑이여

다시 한번 말하자면

한 글자 한 글자
가득 눌러 담아 쓴 편지에
다시 한번
나의 마음도 봉투에 같이 넣는다

한 걸음 한 걸음
우체통에 가까워질 무렵에
다시 한번
망설이다 뒤돌아선다

다시 한번 말하자면
아니
영원히 말하지 못할
부치지 못한 편지만 남긴 채

822-1027
테크 경매학원
823-6686
바로 한의원
042-826-7010
LG U+

내 마음 1단지 재개발 안내문

알립니다

곳곳마다 상처나 깨지고 부서져
리모델링을 진행하려고 했으나
연식이 오래되어 다 허물고 재개발하기로 했습니다

다들 추억이 많아 아쉬움이 크시겠지만
이와 같이 결정할 수밖에 없었다는 것을 양해 부탁드리며
각 호실에 남아있는 미련들을 속히 이동시켜 주시기 바랍니다

이제 이곳을 떠나는 당신에게
더 아름답고 행복한 일만 가득하길 바라겠습니다

내 마음에 장기 입주자였던 당신
아프지 말고 건강히 잘 지내세요
많이 보고 싶을 거예요

에필로그

너니까
(2013년 작사)

열이 나고 가슴이 답답해
소화도 좀 안되는 것 같아
약을 먹어봐도 아무 소용없어
내 심장이 미쳤나봐

눈물샘도 고장이 난걸까
눈물이 또 멈추질 않아
네가 떠난 후로 나는 약해졌어
하루종일 너만 찾아

못하는 술이라도 한잔하면 잊을까
안피우던 담배라도 피우면 지워질까
망가져버린 날 다시 낫게 해줄 한 사람
너니까 네가 미치게 보고 싶다

너 없이도 잘 지낼 거라고
이별 따윈 슬프지 않아
굳게 믿었는데 그게 아니었어
죽을만큼 아프잖아

못하는 술이라도 한잔하면 잊을까
안피우던 담배라도 피우면 지워질까
망가져버린 날 다시 낫게 해줄 한 사람
너니까 네가 미치게 보고 싶다

흔들릴 때마다 잡아준 너의 두 손이
날 위해 밝게 웃어주던 너의 미소가
매일매일 생각나는데
어떻게 내가 너를 잊고 살 수 있겠어

단 한 번만이라도 만날 수만 있다면
전해주고 싶은 말이 한가지 있어
미친 듯이 널 사랑해서 미안했다고
고마워 너란 사람 알게 해줘서

오늘도 네가 미치게 보고 싶다

안녕

(2013년 작사)

안녕 매일하는 그 짧은 인사가
어쩜 오늘따라 더 슬프게 들려
떨리는 너의 목소리에
참고 있던 나의 눈물이 한방울 떨어지고 있어

안녕 아프지 말고 건강해야해
점점 멀어져가는 널 바라보면서
희미한 너의 뒷모습에
가지 마라 두손 붙잡고 하루 더 같이 있고 싶어

이제는 우리가 헤어져야 할 시간
우리의 추억도 우리의 사랑도
슬픈 영화 속 주인공처럼 헤어지긴 싫어
웃는 얼굴로 다음에 또 만나요

혼자 우두커니 불꺼진 방안에
문득 떠오르는 너와의 추억들
붉어진 나의 두 눈가에
그런 너를 아직 못잊어 오늘도 네가 보고 싶어

이제는 우리가 헤어져야 할 시간
우리의 추억도 우리의 사랑도
슬픈 영화 속 주인공처럼 헤어지긴 싫어
웃는 얼굴로 다음에 또 만나요

끝내 참지 못해 네 전화번호를 누르다
네 목소릴 듣게 된다면
오래 참아온 내 그리움들이
모두 다 쏟아져내려 날 흔들어 놓을까봐

이제는 우리가 헤어져야 할 시간
우리의 추억도 우리의 사랑도
슬픈 영화 속 주인공처럼 헤어지긴 싫어
웃는 얼굴로 다음에 또 만나요

웃으며 안녕

나의 바다에

당신의 바다에

부디 가뭄이 오길